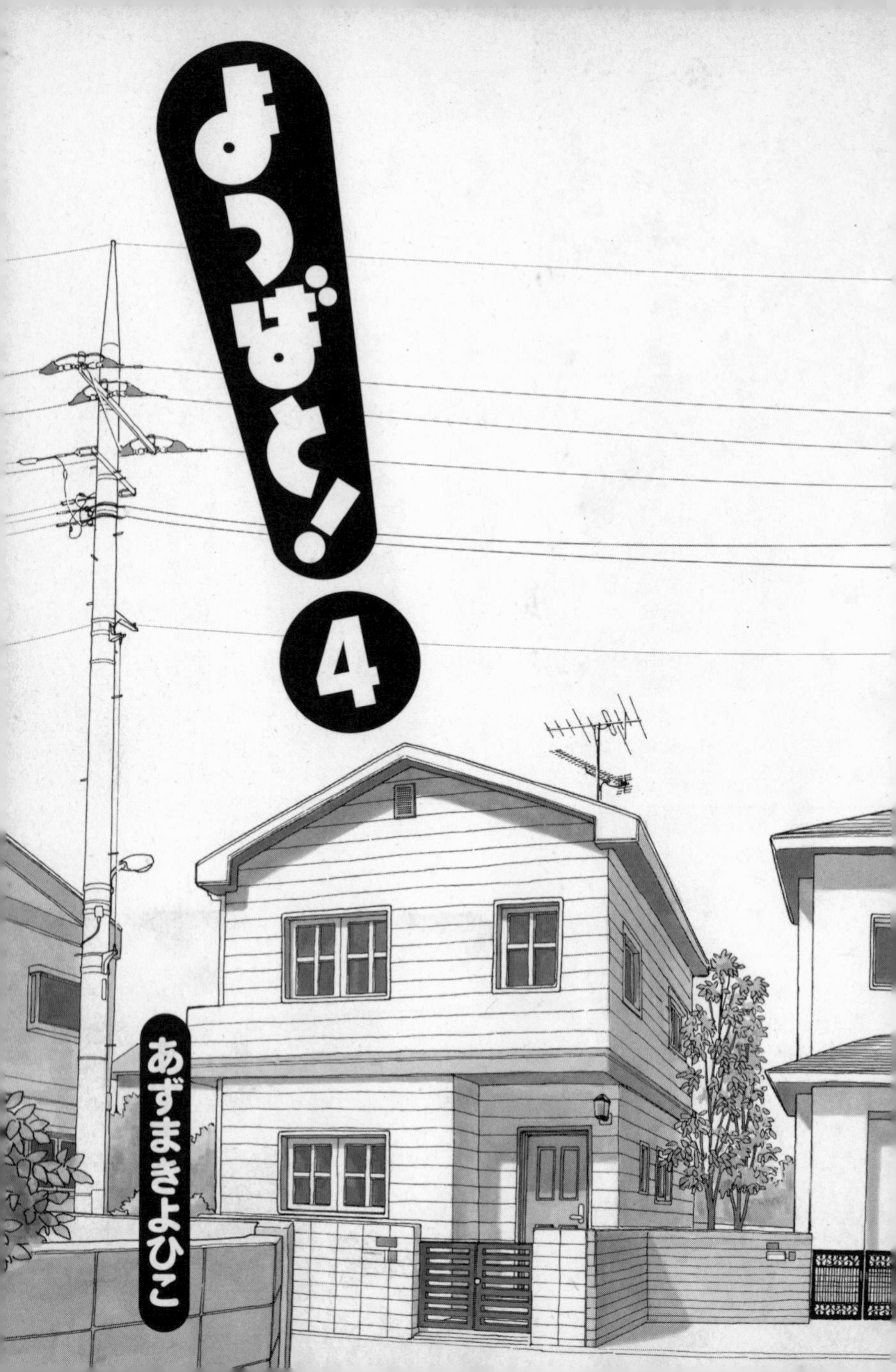
よつばと!
4
あずまきよひこ

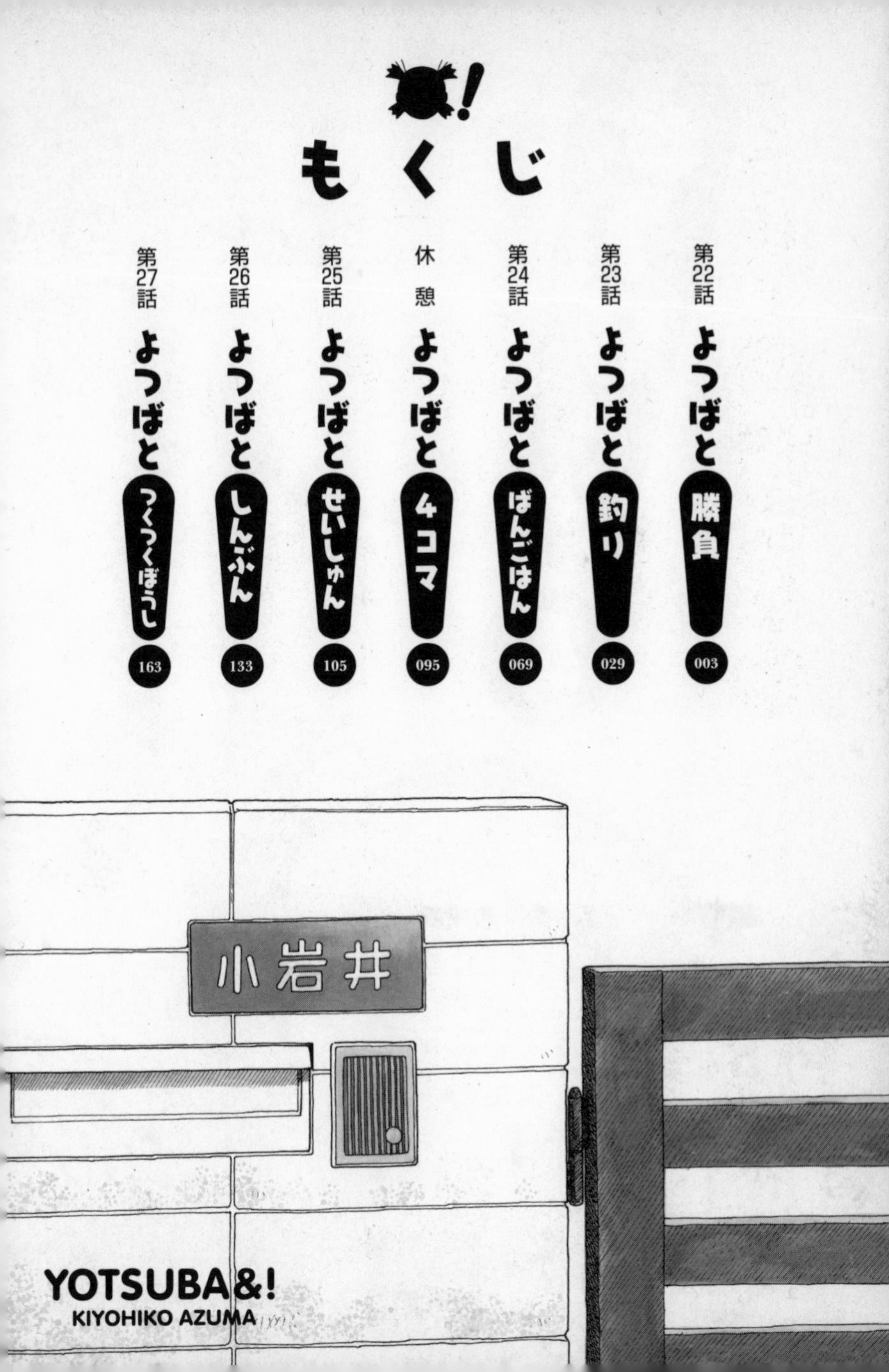

もくじ

YOTSUBA&!
KIYOHIKO AZUMA

よつばと
勝負!
第22話

じゃんけん
ぽん！
わっ
はっ

ぱーんっ
むー
もっかいだ!!

じゃんけん
ぽん！
ばっ
違う(ちが)それ俺(おれ)
あ
ぱっ
ばっ
じゃんけんぽん!!
違う(ちが)それ俺(おれ)

ばっ
もー!!
とーちゃん
つぎは
パー!
つぎはパー
だして!
なんでだよ
とーちゃんパー!!
とーちゃんパー!!
わかった!?
あー
わかった
わかった
じゃーんけん

ぽん!
ぱーーん
ずるいーー!!
ずるーーーい!!
大人(おとな)はずるいものさ
おとなは!
まったくおとなは!!
何(なに)やってんだおまえら

がさ
なんだこれ!?
おみやげ!?
がさ
がさ
おう
そーだ!
CHOCO
チョコレート
アイスクリーム
だ――――っ!!
3つある!
ぜんぶよつばのだ!!
いやいや
一人一本だろう
じゃあよつばから
好きなの選べ
おーー!
チョコレート
バニラ
あずき

んー
んん
ぜんぶ
おいしそう
よしじゃあとーちゃんが
全部食べて
一番おいしかったのを
よつばにやろう
おー！
それはいい
かんがえだ！
じゃ
全部
いただき
まーす
…いいのか？
全部食べられちゃうぞ？
おとなは!!
まったく
おとなは!!
反応
遅いなぁー

あずき
バニラ
チョコ
ジャンボ おはなげんき なくなってきた
あーー
もう一週間くらい たつからなぁー
植物は話しかけて やるといいって 聞いたことあるな
おーー
えーと
元気ですか？

長生きさせるには…
そうだなぁ
よつばにできるのは
水を毎日
交換することかな
お――
じゃー
お？
面白いもんが
あるじゃん
ばとみんとん！
えなにかりたんだー
いまとっくん
してるんだ！
ほ――

ほいよ
ぱん
はーーー！
ぺちん
あーー…
お！でもちゃんと当たるじゃん！
やるな！
とーちゃんと特訓したもんなー
なーー
きびしい特訓な…
ブンってするんじゃなくて
パンってやるんだよ
ほーほー
じゃもっかいいくぞーー

ぽん
ぺん
よっ
ぱん
つづいた!
つづいた!
ぺん
よし!
ひっさつ
わざだ!!
ぐる
ぐる

ぐる
ぐる
ぽたん
ぽーん
ぐる
ぐる
くる
くる
ばたん
うおえ~
何がしたいんだ
何が
まずは基本だ
必殺技はそのあと!
きほんかー
だいじなー

そーだ
とーちゃんと
ジャンボはどっちが
うまいんだ?
はっはっは
そりゃ
俺だ

キエエーーー!!
クアアーーー!!
チョオーッ
チャアーッ
チェアァーッ
チョエエーッ
ハウアーッ
ホイヤーッ
はやく
しなさい
はい
すみません

いくぞー
あ
あさぎさん
え!?
ぺん
アウト
てりゃー!!
パシィ
おっしゃー!!
まてまてまて!!

今の下だろ!?
ヒモの下だって!!
上だっつーの!!
どこ見てんだよ!!
いいか!?
こうギリギリ
上を
通ってだな
グシャーッ!!
地面に
突き刺さったぁー!!
ぎゅるるるるるる!!
地下10センチまで
めりこんだだろーが!!
掘り出すの
スゲー大変!!
あーわかった!!
お前バカだな!?
バーカ
バーカ!!

よつばちゃーん
なにしてんの？
バドミントン？
そーだ
おとなのたたかいだ
あ！よつば！
よつば審判！
よつば見てたな⁉
今の！
うん
まあまあだった
⁉
上か⁉
下か⁉
よつばがみたのが
あってるなら…
うんうん
よつばが見たので
いいんだ

ひもをすーーってとおりぬけた
ええっ⁉
通り抜けはどっちだ⁉
アウトか⁉セーフか⁉
うーん…俺もそこまでルールに詳しくは
なんだそれ
お
恵那ちゃんみうらちゃんオッス
オッス
おっす
お

ランボルギーニ
ミウラは今日は
女の子だな
今日も
だよ
そーですよー
カタツムリじゃ
ないんだから
カタツムリ?
カタツムリは
オスとメスの区別が
ないんですよ
へーー
みうらちゃんはきのう
ジャンボさんに男の子って
言われたから
今日は女の子
なんだよねー
よけーなこと
言うな
つーかずっと女だって
言ってんだろ
ごめんなー
乙女心
傷ついちゃった?
あーーもう
うるせーーなー!!

とりゃ
きのうの花火
ちゃんと絵日記に書いたか？
夏休みの宿題であるだろー
優しいお兄さんにおごってもらったって
あーー
あんたの事は書いてないけど
花火の事は書いたよ
私も書いたー
私はジャンボさんも書いたー
うん
恵那ちゃんはえらいな
あーゆーイベントがあると
書きやすくていいよねー
恵那はいいじゃん
おばあちゃんちとか
行ったり旅行してー
色々書くこと
あるもん
私 夏休み
どこにも連れてって
もらってないからさー
もー書くこと
ねーっつーの

オメーはどっこも
行ってないのか？
うん
うちのお父さん
夏は忙しいんだー
おとーさん！
どっか行こーよー！
つれてってよ
――――!!
マジカル
ランド
いこーよ
ーー！
だめだだめだ！
今うちにそんな
余裕ねーんだ！
ぽん
ぎょ

よし！
あした遊びに行こう!!
俺が遊びに
連れてってやる!!
え？
海か!?
山か!?
俺が夏休みの
思い出を作ってやる！
ぱち
ぱち
いや…
そーゆーの
別にいいんだけど…
はーー!!
たーー!!

よつばと!

恵那ー　できたよー
持っていきなー
おにぎり
みんなで食べなさい
ありがとう
ございます
おにぎり!

おかずは無くていいのよね
はい現地調達です
おにぎりおにぎり
恵那は釣りしたことないからおかず無しかもしんないねー
きのう図書館で釣りの本借りて読んだもん
え!? 釣れなかったらおかず無し!?
じゃあみんながんばってきなさい
私の分も釣って帰ってきてね
まかせろ
よつばがかーちゃんとあさぎとふーかのぶんとってきてやる!
おとうさんのは?
よーし じゃあみんな車乗れー
いくぞー
おーー!
しゅっぱつしんこーー!

よつばと釣り！
第23話

釣れなかったら おかず無いの?
今日行くのは 管理釣り場だから 釣れるよ
はーやく おーにぎり♪ たーべ たーいな♪
かんりつりば?
まぁ釣り堀だな
あ そーなんだー
ジャンボさんは よく釣りするの?
んーー それ程じゃ ないけど キャンプしたりとか 好きだからなー
ま 私がひょいひょいっと 釣ってやるよ
私もぽいぽいっと 釣るよ
よつば かぶとむしつる!

おっちゃん よつば
かぶとむしつり
いってくる!!
……がんばってね
あ!
はしだー!
左折禁止

ガコ
ガタガタみちだぬー
もうっ着くぞー
あははははは
ガコ
観光釣場
お───

てててて
お―――
あのかわで
およぐか!?
今日は何しに
来たんだっけー?
さかなつり
およぐか!?
泳がない

ここおみせやさん？
さかなやさん？
ここで道具借りたりすんだ
いらっしゃい
あらかわいいお客さんが来たよ――
さんまください
ニジマスです
5人で
竿は3本であとエサはー
そーだな
さんまないって
ほれガキども竿持ってけー
川に下りるぞー
さおだ

おー

結構すいてるなー
平日だしな
水きれー
わー
釣り堀って言うからオヤジくさい所を想像してたけど
きれーな所だねーー
この辺でやるかー
つめたー！
この辺が釣れるポイントなの？
つーかここに魚を放してもらうんだ
ほら

ここでいいかい？
はい
お願いします
おさかなだ！
いっぱいいる！
こいつを放すから
いっぱい釣ってくれなー
ざばー
おーー
とりあえず
20入れといたから
後で追加するし
はい ありがとー

これでこの一画は少なくとも20匹ニジマスがいるわけだ
へーこういうシステムなんだ
なんかヤラセくさいな
ま釣りはみんな初めてだろ
でも釣れないのはつまんねーだろ?
とりあえず難易度が低いので入門だな
ふーーん…ニジマスってのは初心者向きなの
養殖のはな
この川も上の方行くと天然のもいるらしいけど
ヤマメとかイワナとかも
養殖と違って釣るのは難しいぞ
なんか特別な釣り方すんの?
いや釣り方は一緒でも天然のは

さかなー！
おーい
おいでー
おいでー
こーやって騒がしく
してると釣れない
ばしゃ
ばしゃ
早く釣りましょう！
よし 仕掛けはもう
竿に付いてるから
針にエサつけて
放りこみゃいい
あとはおいおい
説明するとして
エサだな
みうら手ェ出せ
エサやるよ
ミミズだ！
ミミズだな!?
バカ そんなん
じゃねーよ
ほい
ガシッ

ギャーーーッ
ム虫‼
むしじゃねーか‼
ミミズじゃ
ないよ
手ェ放せ‼
これはブドウ虫
っていってなー
うるせーー‼
ぎゃー
はいみんな
見てーー
これを針に
ちょんとかけてー
ひい
なんで私の手で
やるんだよ‼
ぎゃーー
ほーー

はいこれで
準備オッケー
あ――
私はムリッス
虫は…
虫はダメッス
は――
んー そっかあー
じゃあ仕方ないなー
エサは虫じゃなくて
イクラでもいいんだ
そっちで
いいじゃん!!
殺すぞ!!
こうイクラを
2個程針に刺して――
なんだよイクラって!!
ぜいたくだよ!!
じゃあ
ブドウ虫にする?
イクラだよ!!
イクラでいいよ!!

よっ
こうやって魚のいそうな所へエサを流していくんだ
それを繰り返してー
お…
よっ…
ほら来た
お──！
グググ
じゃーん！

お――
やる！やる！
エサつけてやるよ
よーし
は――!!
ぱっ

ホントに釣れんの?
こいつらでも
大丈夫だろ
特に放流してすぐは
釣れやすいから
あーー!
かかったあ!
ホラ来た
わっ
わっ
すごい!
うまいぞ
私!
よーしそのまま
こっちに寄せてーー
よっ
やった!
バッ

わっ
おー
針は？どうやって外すの？
あーーこりゃ飲みこまれてるな
口にうまく引っかけた時は外しやすいんだけど
こいつらすぐ飲んじゃうからな
これを使って外そう
針はずし
針はそのまま引っぱってもひっかかって抜けないから
これで一回押しこんでーー
よ……っと
ぐぐ
プチン
こーやって取る
こいつはそこのビクに入れときな
ピチ
ピチッ
＋＋

へへー
一匹ゲットー
これで恵那は
おかずありだなー
しそー
私も…
…あれ？
あ！
知らないうちに
かかってる！
ジャンボー！
ジャンボー！
はいよー

うわっ ヌルッてする！
すべる！ ビクッてする！
あ！ これも針飲みこんでるよ
ほれじゃあ次は自分でやってみ？
え!?
え!? ど どう!?
まず糸をそこに通してー 俺が糸持っててやるから 口の中にぎゅーっと
口の中…
こ こう？
わっ ビクッて…
とれないよ!? あれ!?
ぐっ
ぐち
もっと深く押し込んで
もっと!? あっ… ごめん
ごめんよ…
げふっ
だー
わぁ！ なんか血ィ出てきた！
あーーっ あーーっ!!

こえ〜〜〜
こえ〜〜〜
ばしゃ
ばしゃ
恵那よく平気で触れるよなー
虫はともかく魚はなんともないじゃない？
あ！またきた！
あーまた針のみこんでるー

よーし！
よつばもだ！
さっき恵那ちゃんが
釣ったとこにエサ
やってみろ
もっと下
お？
こうか？
そうそう
なんか
おもくなった
お!?
かかったんじゃ
ねーか？

ぐいぐい
お
お
がしっ
いいぞ!
とーちゃん
たすかった
はーっ!!
KODOMO USAGI

プチン
ぽちゃん
まてーー!!
バッ

わしゃ
わしゃ
おしかったな！
もうちょっと
だったのにな！
まぁすぐ
乾(かわ)くだろ
よーし！
こんどこそ！
あ！
またきた！
あーまた針
のんでるー
のまれない
よーに
するには一
きた！
きたぞー!!

もうかなりとったなー
そろそろ昼飯の準備するかー
さんせー!!
さんせー

とーちゃん
たきびか⁉
あついのに
おかしいなー⁉
炭火をおこすんだよ
よしじゃあ
よつばはとーちゃんと
炭火作ってろ
こっちの二人は
魚をさばきに行こう
だばー

どうやって食べれるよーにするのー？
んーまずはー
こうやっておなかを切る
うわっ痛っ！
でー
うぎゃ！中でた！
エラと内臓を引っぱり出す
わーーー
わーーー
生きてるままやるんだー
で魚をくねらせて串をこうー
ぎゃ！目っ！痛っ！痛いっ！
ぐぐっ
で塩をつけてできあがりー
ほーー

ピク
ピク
まだ生きてる
じゃあとりあえず全部さばいちゃおう
こえ～～～
こえ～～～
私にもできますか？
ええっ!?
チャレンジャー!?
そこ引っぱったら取れるから
こう…
その背骨の血もきれいにとって
すげー
恵那すげー
恐れを知らねぇー
今どきの子供か？
バーチャル世代だ
ゲーム感覚だな

虫も殺さないような顔して
うるさいなー
できるようになった方が面白いじゃない？
そ そーかもしんないけど
みうらちゃんもちょっとやってごらんよ
できるかな…
びくん
びくん
ぷにゅ
はいダメです
私ダメです
お二人におまかせします
じゃー

さかなやけたーって？
今焼き始めたばっかじゃねーか
おみやげの分釣ってろー
さかなやけたーって？
まだまだー
さかなやけたーって？
もうちょいー
きれいに焼けたねー
はらへったー
たべていいか!?
いいけど熱いから気をつけろよ
あつい!
人の話聞け

いただきまーす!
いただきまーーす
ぱく
ぱく
んーー!!
あ
すげーうまい
うんうん
ほら用意(ようい)してもらった
おにぎりもあるぞー
んーー!!
よつば
いま
さいきょう
さいきょう
あ?

思ったより
うまいなー
びっくりした
焼いたら
食べ物だから
いいんだよ
あんな魚
怖がってた
くせにー
こぼれてる
いっぱい
こぼれてる

どうだ？
今日は日記に
色々書けるだろ
うん

うんうん
よかったなー
思い出できて…
思い出とか
言うな

なんだ？日記って
みうらが夏休みどっこも連れてってもらってないって言うからさー
俺が思い出作りに一肌脱いだってわけよ
ほーー
でもみうらちゃん夏休み終わったらハワイ行くよね
うん
はい？

みうらちゃんのお父さん
夏は忙しいから
秋に旅行いくんだよ
学校お休みして
一週間も！
うん
ハワイいいなー
私まだ海外って
行ったことないもん
でもハワイって
ベタじゃねェ？
ベタ？
風香お姉ちゃんなんか
凄くうらやましがってた
海きれいだよね
きっと！
魚もいっぱいいるよ
うん シュノーケリング
とかするかも
わー
シュノーケリング
だってー くそー
はっはっはっは
それはいいですねぇ
はっはっはっは
なんだ
それ
え？

なんだよ！
幸せじゃん！
すげーいいじゃん!!
ううん
食うな
食うな!!
ニジマスなんか
食うな!!
なんでだよ!!
ハワイ行って
でっかいハンバーガー
でも食ってこい!!
なに
わけわかんないこと
言ってんだ!!
カメハメハーッ!!
わけ
わかんねー!!
カメハメハっていうのは
ハワイの大王でね
知ってるよ！

ワイキキー!!
あー!
うるせー!!
ワイキキっていうのはね
知ってるよ!!
ふん
ふん
ガッ
ガッ
ゆっくり食え
それでは姫のフラダンスをごらん下さい
ぱちぱち
ぱち
余計なことすんな!!
ガツガツ
げほげほっ
ゆっくり食えー

よつばと!

よつばと
ばんごはん
第24話

ん－－
みてください！
このお店の
日替わり定食がっ
なるほど！
なに
メモってんだ？
よつばは今晩
何が食べたい－？
ちょー
おいしいもの！

……
残念ながら
超おいしいものは
当店では取り扱って
おりません
あーー
そうだったか……
…じゃあ ふつうに
おいしいものでいい
ん
じゃあ今日は
普通においしいものに
しよう
わーー！
よし じゃあ
買いもん行くか
いくかー！
…なにに
しよっかなぁー…

普通においしいもの
って何かなぁー
んーー
カレー!!
きょう
カレー!?
カレーはこないだ
食ったばっかだろう
そっかー
カレーは
ちょーおいしいもの
だしなー…
カレーの
にせものは!?
あれは
ちょーじゃ
ないな?
ハヤシライスは
にせものじゃない
失礼だな君は
そっかー…
そっくりなのにな…
じょじょ
じょじょじょじょ
ほーし

つくつくぼーし
つくつくぼーし
つくつくぼーし
つくつくぼーし
つくつくぼーしが
いってる
つくつくぼーし
ああ
つくつくぼーし
だからな
にほんご
うまいなー
あいつが鳴くと
夏が終わっちゃう
んだよ
つくつくぼーしが
おわらすの？
そう
へーすごいなー

だからとーちゃんは
あの声はあんまり
好きじゃないなー
つくつくぼーし
つくつくぼーし
ふーん
なつおわったら
はるくるのにな
秋だ
夏の次は秋
あきな!
しってる!
あきは
おはなみ!
いやだから
それは春だ
Maru Mart

ひらけ！
ガー
ふふん
すごいな魔法使いか？
違う違うそっちは大人用
よつばはこっちの子供用のだ
よつばはこびがかりな！
どんどんいれていいぞ！
安全運転
らじゃー!!

さーて何にしようかなー
なんだよフツーにおいしいものって
ねーおかーさーんハンバーグにしよー
ハンバーグこないだ食べたばっかじゃないの
えーでもー
……
よしよつばうちはハンバーグだ
おーー!!
それはいいぞ!それはいいぞとーちゃん!
よつばんちハンバーグにしたーー!!
言わなくていい

はい
たまねぎー
はーい
たまねぎー
はい
にんじん
はーい
おあずかり
しまーす
にんじんはここー
はい
ミンチ
わーー
にくだー
ちいさいけど
にくだ
きょう
よフばんち
ハンバーグ
なんだー
よかったわねー

よし
こんなもんかな
よーし
レジにGO!
ゴー
ラジャー!
おかね
はらうぞー!
ん?
おっかねーが
ほしいか
そーら
やーるぞー
ん!?
どーした?
とーちゃん
うんこ
したいのか?
……
でちゃったのか?

さいふを
忘れた
ど どーするんだ？
にげるか？
よつばを置いて
俺が走って取りに…
いや
ダメだな…
てて
おかね
かしてください
へ!?
わっ!!

知らない人に
お金を借りるのは
だめなんだ
あー
そっかー
仕方ない
品物を全部
あった所に返そう
あーー

かえす
にくも
かえすの？
ハンバーグ……
しょぼーん
家に帰って
お金持って
また来るか…
めんどくせーけど
牛肉
5%引
お買得
¥178
397

ふーかー！
おかね
かしてください
へ!?
よかったなー！
ふーかのおかげで
ハンバーグできるな！
できるな
よし きょうから
ふーかのこと
ハンバーグさまってよぶ！
やめて
それ
なんかイヤ

でもハンバーグですか
いいですね
ハンバーグ…そーかハンバーグカレーもいいなー…
でもお母さんめんどくさがるな
ハンバーグカレー!?
ダブルだ!ダブルだ!
ダブルだな
なんかの日かな?
なんですかそれ
今日はウチカレーなんですよー
シーフードカレー
よつばんちもうカレーした
シーフードカレー!?
あんなもんカレーじゃない
フン
な!?なんですか!?
おいしいですよ!?
カレーは何入れてもうまいけど
ほうれん草とかもうまい
印度カレー
123円
印度カレー
160

でもシーフードは合わん！
なんだイカとか貝とか！
肉いれろ肉!!
そーだ！とーちゃんはいいこというにくいれろ！
なんなんだこの親子…
シーフードなんか入れたらカレーが死ぬ
カレーはそれくらいじゃ死なないの！カレーは強いの！
そーだふーかいいこというーっ！カレーはつよいな！
¥268
120円
有機こんにゃく
よつばちゃんのお父さんこんにゃく屋さんだったよね？
……うん

小岩井さん
こんにゃくはどれがいいですか？
選ぶポイントとか
へ？
どれも似たよーなもんじゃねーの？
ほ——
あなるほど
こういう所のは全部似たようなもんですね
やっぱり手作りのがおいしいですよね
…まぁ手作りがおいしいんじゃない？
？
こんにゃくってどうやって作るんですか？
え…？
ん——…
さあ——
よつばたまごとってこい
うん！
なるほど企業ヒミツですね！
？

風香ちゃんてダイエットしてる？
な!?
なんですか!?もっとやせろって言うんですか!?
あ…いや…
あれ？
たまごとってきたー！
こどもようもあったからもってきた
？子供用
ああうずらか
こども用…
よつばちゃんこのトマトも子供用だよ
ホントだ！かわなきゃ！
Maru M

よつばんちも
じてんしゃ
かおうかなー
よつばちゃん
のれるの？
のれないよ
つくつく
ぼーし
つくつく
ぼーし
まだ
ないてた
ふーか
つくつくぼーしが
ないたらねー
なつが
おわるんだよ
そうなんス
わ——

…つくつくぼーし
きらいか?
きらいね
ふーーん
よつばは
なつすきだけど
はるもすきだけどな
…来るのは
秋だけどね
はい
ありがとー
助かったよー
いえいえー
じゃーねー
げんき
だせな!?
うん

よーし
作るかー！
つくるかー！
たらったった
たったった
たらったった
たったった
たらったった
たらりーら
たん
たん
たん
たん
今日はハンバーグと
ポテトサラダを
作りまーす
えーと
おーー！
よつばは
なにをする!?
じゃあよつばは
玉ねぎを
すりつぶすー
あ～～～
あれか～～～
ごしゅ
ごしゅ

ぱら
ぱら
でこれをぐちゃぐちゃにこねる――
お――！これはよつばとくいだ！
う――
う――
ごしごし
ぐっちゃ
ぐっちゃ
ぐっちゃ
ねんどみたいなー？
いや変な形にしなくてもいい

じゃあハンバーグ焼くぞーー！
やきすぎるな！
ちゅうびだぞ!?
ちゅうび！
よし！
ぴっ
ぴっ
ぴっ

なんか形はよくないが…
おいしそう!
うむ!完成だ!
イエーー!
ぱん
イエーー!
よーし テレビのへやに はこべー
おーー!

よつばと!

よつばと4コマ
休憩

正体

つくつくぼーし
つくつくぼーし
何描いてんだ?
つくつくぼーし!

フライング

カタ
カタ
カタタタ
フー
にゅ
まだ
まだ仕事終わってない
あれ?

よーい
カタタタタタ
カタン
ん…
ばっ
まだだ
じーー
すぐには終わらんから遊んできなさい
キックオフ
公園でおつきなボールをひろつた
サッカーボールは手で触っちゃだめなんだよ
ルール違反！
足だけで使うの
キック！
キック！

ゴール
そう
そう
ポン
あっ
これしってた!
シュート!
そう
シュート!
シュート
ばいん
パス…
パス…
おー!
パスな!?
きいたことある!
ルールを守ろう
うち
けってかえる!
けって?
もったら
ルールいはん!
あ
そ そうか

神の手
ただいまー
おー
おかえりー
お?
サッカーボールじゃん
ひろったのか?
だって てーつかわないと
かえれなかった!
てーーつかわないと
かえれなかった!
ひどい
地球温暖化
アメリカは
世界の1/4の
二酸化炭素を
排出しており
一人当たりの
排出量も世界で
最も多いのです
何読んでんの?
宿題?
お姉ちゃん!
アメリカったら
ひどいのよ!?
へ?
アメリカ?

茶色だけどね
まぁ一人一人が
できることをやればいいんじゃない？
アメリカがどーより
お姉ちゃん部屋のエアコン切ってきた
え？あー つけっぱ
消してきなさい！
一人一人でしょ
はい…すまんです
髪も金色になって！
アメリカ人になっちゃうの⁉
なっちゃうのって言われても…
難問
……
おう
おう
……
おまえ外人？
シュボッ
……
かもな
……
どっから来たんだ？
……
ひだり
ぽわ
わっかだ！

わからん
もーちょっとくわしく教えてくれ
……
ひだり…
ずーーっとずーーーっとひだり…
さいごちょっとみぎ…?
どこへ行くのか
とらはどっからきた?
……
そこをまっすぐ行って最初の曲がり角を右に曲がって——
ガソリンスタンドがあるだろ?
あるんだよ
そこを右に曲がってだな
わっかだして!わっか!

尻叩き
ガッシャーン
たいへんなことをしてしまった
だれだーー!!
見てたっつーの
くそー
パシンパシン
ぎゃーごめんなざいー
わるいことした
あーあー
あぶないからこっちくんなよー
べんしょうします
おとなになったらべんしょうします
いやもういい…

よつばと!

よつばとせいしゅん
第25話
Gibson

えー
しゅうちゃんも宿題やってないのー?
うしろ自転車
大丈夫だよ
あと十日もあるよ
十連休だよ
あー

なるほど…
これから十連休か…素敵な考え方だ…
!

とーちゃーん
おとなりさん
いってくるなー‼
あいよー
だっ
ばん
ふーかー！
あははは
ははは！

あ〜〜
よつば
ちゃん〜〜

どーした⁉
どーした⁉
あれぇ〜〜〜⁉
つくつくぼーしか⁉
なつおわるからか⁉
フルフル
終わったのは夏じゃなくて
恋
…まぁなかにはいれ
な？
…うん…私の家だよ…

たん
とにかくのめ
な?
ぎゅうにゅう……
どんなときもぎゅうにゅうだぞ?
とく
とく
ごくごくごく
ぱー

なにがあったのか
よつばに
はなしてみろ？
な？
……
うん
私ね…
好きな男の子が
いたのね…
ああ——…
こいかー…
ふーかはもう
チューしたか？
……
してない
そっかー
まだかー…
……

……私もそれなりには
少しはモテたことあるのよ
ラブレターもらったこともあるんだから
ラブレター!?
すきです
ってかいてあるやつか!?
そうそれ!
かいてあったか!? すきですってかいてあったか!?
かいてあった!
おーーー!

みせて！
それみせて！
いやだよー
見せるもんじゃないのよー
チューした!?
そいつとチューした!?
だからしないって
お断りしたから
ごめんなさいって
おことわりってなにーー？
えーー
おつきあいできませんってこと
なんでできないのー？
ラブレターくれた人は好きな人とちがったから
ふーん
すきなひとにラブレターもらったらいいのに
そうだね
まったくそうだね

でもその好きな人はね
さっきうちの学校の女の子とね
手ぇつないで歩いてたの
なかいいな?
いいよね
…つまりー
私の好きな男の子は
おつきあいしてる女の子がいたの
わかる?
……
…えでせつめいして
え

ふーか へただから
よくわかんない
……
えーと…
じゃあよつばちゃんで
言うと…
よつばちゃんは
誰が好き？
とーちゃん！
じゃあ
とーちゃんは
よつばちゃんのこと
好きじゃなかった
そんな感じ
岩井牛乳

あ
わー!!
ちがう!!
うそっ!!
とーちゃん
よつばちゃん
大好きっ!!

たとえば！
失恋のたとえ話ね!?
ね!?
あーー！
たとえばなー!?
びっくりしたなー
フーー
あ
わかった！
ふーか！
ん？
ふーかは
しつれんしました！
あ　そうです
わかってくれましたか

しつれんだ………
しまったぁー………
しつれんってあれな!?
しんだりころしたりするやつ…
え…っと
あー…
そーね…死んだり殺したりするよね…
まってろ!
だっ
あーよつばちゃん
このことはみんなにはないしょよ?
わかってる!

いいか⁉
しぬなよ‼
はい
ころすなよ⁉
はい
ど
ど
ど
あさぎ！
お？
どーしたの？
血相かえて

ふーかが
しつれんした!
……
ありゃま
しつれんしたら
どうしたらいい!?
どうしたらなおる!?
ん──
私
フラれたこと
ないからよく
わかんないなぁ
お────……

風香ちゃんあんだけかわいくてもフラれるのか…
意外だな
ふーかかわいいな？
男の子に受けそーなスタイルしてるしね
…足はちょっと太いかな
ふーかあしふといな？
男の子にはあれくらいがいいのよー
トラ子は細すぎだね
よつばはどーしたらいい？
んーそうねぇ
テキトーに元気づけてやって

よしっ
だっ
あれ？
よつばちゃん
えなには
まだはやい
へ!?
えなはへやで
べんきょうしてろ！
とっこ
とっこ
えー
なにそれー
ただいまー
ガチャ
あら
よつばちゃん
あ！かーちゃん
いいとこに
かえってきた！

かーちゃんはしつれんしってるか？
へ!? 失恋(しつれん)!?
あはははこのー
おまーせさん
!?
しつれんはおませさんか!?
おませさんよー
ふーかおませさん…
あ 風香(ふうか)なの？ そりゃ大変(たいへん)だ
たいへんか？ しょんぼりしちゃう？
そーよー ちょーしょんぼりよー
よつばはとーちゃんにおこられたらしょんぼりする
それくらい？
もっとも――っとしょんぼりよー

ガチャ
ふーか!
あ
だいじょーぶか!?
そんなことして
くるしくないか!?
……
ちょっと
くるしい…
でも本当に
苦しいのは…
心
なに
いってんだ!?
だいじょーぶか!?
えっと
えっと
なん
だっけ

おまーせさん！
ガス
!?
ふーかはおませさんだな！
おまーせさん！
？
？
だからげんきだせ！
しょんぼりするな！
あさぎはしつれんしたことないんだぞ！

あさぎは
だいじょーぶだ!
あんしんしろ!
えーと
それからぁ
ふーかは
あし
ふといな!
ふともも
ぐにょぐにょだな!

それでもしぬな！
な⁉
うう…
風香どうなってる？
悪趣味ねあんた
お母さんだって覗いてるじゃない
親はいいのよ親は
しなないよ…

つくつくぼーし
つくつくぼーし
私は夏の終わりがくるたびに
恋の終わりを思いだすのかしらね
さようなら私の恋
グッバイマイラブ
…あれあなたの娘さんですよ
……
あんたの妹よ

もうしつれん
おわったー？
…そうね
終わりにしなくちゃ
いけないよね
うん
もうやめとけ？
な？
わかった…
私前を向いて
歩いていく
この足で
ふとい
あしでな

よつばと!

?
へたじゃ
ないけどな

よつばとしんぶん
第26話

むく
ANIMAL

6じ
3ぷん
なんだか
きょうは
はやおき
したぞ？
ん
ー
ぐー
てててて
ガチャ

もう
きてた
はやおきするの
しってたのかなー
ばっ
ばさっ

さいきん
ぶっそうなー
アイスクリーム売上最高
かぶかが……
えーと……
ガオーーッ
!
あははは
私だよー

よつばちゃん早起きだね
びっくりした
えなもはやおきしたのか？
しんぶんとってくるかかりか？
ちがうよー
よつばちゃん新聞係？
私は今からラジオ体操に行くの
あ よつばちゃんも一緒に行く？
らじおたいそーってどんなことするの？
えっとねー
こんな
ほー
こーんな
ぴょん
ぴょん
おーー！

よつばもいく！

らじおたいそう！

ずー
ずずー
なにしてるの?
せんろ!
へー
かえりにこのうえをとおるんだー
ず～
おはよー
おはよー
きょうさーみみっくんち行こー
あ、きたー
こどもだ!
こどもがたくさんいる!
みんなラジオ体操にきてるの

えなちゃん おはよー
おはよー
おとなりの よつばちゃん
おはよー
おはよー
おはよー!
みうらちゃん また来てないね
みうらちゃんちは 高いところだから 来るの大変なんだよ
カンケー ないよそれ
みうらも くるのか!?
あ みうらちゃん 知ってんだー
全国のみなさん おはようございます
みんなー 始まるよー

はじまる!? どーしたら いい!?
よつばは どうしたらいい!?
みんながやるのを そっくりマネ したらいいよ
ちゃーん ちゃーちゃ
ちゃっちゃっ ちゃっちゃー
ちゃーんちゃーちゃ ちゃっちゃっ ちゃっちゃっ ちゃー
腕を前から 上にあげて 大きく 背のびの運動〜

深呼吸
ちゃんちゃんちゃーん
はい おしまーい
もう おわり？

さいごにはんこもらうんだー
よつばもはんこください！
はい　スタンプ帳出してねー
？
あ　よつばちゃんはスタンプ帳がないからもらえないよー
え…
え？
あれぇ？
よつばもおどったよ？
そうだねーがんばって踊ってたよね
よし　じゃあちょっと手出してごらん

ぽん
お？
スタンプ帳は今度来た時あげるから
今日は特別に手に押してあげる

ずーーー
ずずーー
ずー
ずー
よかったね
はんこもらえて
うん！
とくしたな！
ずー
ずー
ブルルルル
ミ

すごい！
あさのしんぶんやさんだ
違うよー あれは牛乳屋さんだよー
ぎゅうにゅうやさん!?
毎朝牛乳を持ってきてくれるんだよ
ぎゅうにゅうやさん…
よつば おーきくなったら ぎゅうにゅうやさんになるんだー！
ぎゅーにゅー♪
ぎゅーにゅー
おいしー
すぎー♪
ぎゅうにゅうとパンたべたくなってきた！
よつばちゃんちは朝はパンなの？
ごはん！

ごはんごはんごはんごはんごはんごはん
パン
ごはんごはんごはんごはん
?
それくらい
あ
ああ
うちはパンの方が多いよ
パンパンパンパンパンパンごはんくらい
なー
きょうはパンなきぶんだよなー
今からうちにおいでよ
うちで一緒にパン食べよう
そうだ
おー!
およばれするかな?

あははは
よつばちゃんもかー
いいわよー
今お父さんの焼いてるからその次ねー
ちょっと待っててー
うん
あさぎお姉ちゃんがもうおきてる
おはようおっちゃん
おはようよつばちゃん

最近は物騒だねー
なー!?
よつばもそうおもう

おっちゃんも
しんぶんすきか？
え？
あぁ
うん
よつば
おーきくなったら
しんぶんやさんに
なるんだー！
いっぱいいっぱい
かいてるもんなー
ほー
えな！
かみとえんぴつ
かして
へ？
何書くの？
よつば
しんぶん

何書くの？
新聞はニュースを書くんだよ
ん——
誰が何をしました
とか書くんだよ
れ…は
こう…
うん
だいたい
そんなの
できた！

ふーかが
しつれん
した
これニュース？
……
ニュースだね
…大ニュース
ホントなのそれ？
よつばしんぶんは
ほんとなの！
ぱん

たしかにきのう元気なかった…
じゃあえなはいんさつやさん！
へ!?
しんぶんとかほんはいんさつやさんがたくさんにするんだよ！
とーちゃんいってた！
え？でも印刷ってどうやって……
かいて！いっぱいかいて！
あ…書くのね…
よつばちゃんえなーパン焼けたわよー
はーい！

おっちゃん
しんぶんでーす
はっはっは
これは
ありがとう
ふーかが
しつれん
した
かーちゃんも
しんぶんでーす
うわっ
最新ニュースね！
あはははは
よつばしんぶんは
どこよりも
はやくて
やすいよ！
……
あー…
新聞屋さん？
これは…
えっと誰？
………誰？
ふーか
いや…
相手は…？
？

お母さんとあさぎは何か知ってるの？
さあ——
よつばちゃんよつばちゃん
グッジョブ！
？
ぼけらー
おはよー
ふーか！しんぶん！
ん？

しんぶんて？
ギャーーーッ!!
ガん

回収！
この新聞は回収です！
お
お父さん失恋なんて許さないぞ
お父さんおちついて
なんで――!?よつばしんぶん――!!
ひみつって言ったでしょ
……
そうだった!!しまったぁ!!
みんなひみつだからな！
うんわかった

ごちそーさまでした!
ぱー
はやいなー
うーん
よつばはやっぱりしんぶんより
ぎゅうにゅうやさんのほうがむいてるかもしれない
作るの?
どうやって作るの?
牛乳を…どうするの?
つくるよ
ん——

できた！
のんで
のんで！
…私 牛乳は
あんまり好き
じゃないの
あ！
とーちゃんがもう
おきたかも
しれない！
とーちゃん
ぎゅうにゅう
だいすきなんだ！
そっかー
じゃあお父さんに
飲ませてあげなよ
うん！

よつばと!

さとうも
いれなきゃ
だったなー

よつばと
つくつくぼうし
第27話

つくつくぼーし
つくつくぼーし
つくつくぼーし
つくつくぼーし
つくつくぼーし
なつがおわりまーす

さっ
それーー！
ピョロロロロ
ぼた
ぼた
ぼた
ああっ
おつかれさまでしたーー
つくつくぼーし
つくつくぼーし
なつがおわりまーす

それー！
ブン
ぼんっ
ぼん
ぼん
ぼんっ
はるがきたー!!

ばっ
お…?
あんまし
あつくない…

とーちゃん
ぬるい
は!?
ぬるい!?
よつばが
ねてるうちに
なつおわっちゃった?
あ?
ああ
涼しいだな?
そうとも
ゆう
涼しいのはほら
クーラーつけてる
からだよ
ゴー

涼しいどころか
今日はものすごい
暑いぞ
ガチャ
この夏一番の
暑さに
なるかもだ
むあ
おおっ!?
まだ
なつだ!

ラーん
このちゃぶ台もうちょっと広めのが欲しいなぁ
もうちょっとかっこよくて
とーちゃん
よつばはなつをおわらせられます
そうかすごいな
何言ってんだおまえ
ふくだして！ふく
ようせいみたいなやつ
は？
あれか？ばーちゃんに買ってもらったやつか？
前花キューピットになったのとかか？
もっとさんかくの！
三角？
あ！それ！それがいい！

どうだー？
にてるかー？
似てる？
誰に？
どっかのお嬢さまかー？
つくつくぼうし
ムッ
むぅ……
つくつくぼうしか
………
それが…
なつが
おわりまーす
そっかー…
でも とーちゃん
夏好きだから
終わらせないでくれよ
ほう

きゅっ
きゃ
……
むずかしいことゆうなぁ
あーでも今日みたいに暑いのはイヤだなぁ
夏でも もうちょっと涼しい夏にしてくれ
がちょ
おとこはいっつもかってなことをゆう
はーー
……
難しいこと言うなあ…
じゃー とーちゃん仕事してるからなー
おー がんばれよー

あついなー
ちきゅう…
ちきゅう
なんとかだなぁ
よし
すこしでも
ひやさないと
ちきゅうがあぶない
ピッ
よし
こっちも
ピッ
こっちも
ピッ

ぜんぶつけた！
これでちきゅう…
ちきゅう…
おん…たん
……
もうちきゅうは
いいや
れいぞうこも
あけとこう
ぼこ
これで
ちょっとは
すずしく
なるなー
あ
アイスクリーム
あるかな？
ガチョ
ない！
うちにはいっつも
アイスクリームが
ない
とーちゃーん
おとなりさん
いってくるー！
あいよー

ゴバー
ブオー
バチン
ブツ

あついので
死にます
うん
ギャーーーッ!!
アイスクリームがない!!
ギャー
ーーッ!!

あら よつばちゃん 今日はおめかしね――
どーしたの？ 暑さのせい？
このかっこー なにかわかるー？
ん？
？
……やっぱし ぼうしがないと わかんないかなぁ
あれぇ…
さんかくの ぼうし ない!?
さんかくの！
三角？
三角のは ないんじゃないかな
よし じゃあ私が 作ってあげよう
おーー！

あははは！
かわいい！すっごく！
そっかー!?
じゃあこれで
なんだかわかったー？
…こどもの日？
ブー
やっぱりひまわりも
ないとだめだなー
うーん
いろいろ
いるのねぇー

ひまわり どこに さいてるー？
ひまわり？
ん———…と… どこにあったっけな
土手に咲いてんじゃ ない？
ああ そっか あったあった
どて？
あっちに川があるでしょ そこの土手にたぶん 咲いてるよ
すぐそこよ
？
どて？
よし！じゃ 一緒に行こうか
ついでにアイスも 買ってこよう
おーー!!
お母さん お金ちょうだい
よつばちゃんに アイス買ってあげるの
よつばちゃんにじゃ ないでしょ

がら
ういーす
おう なんだ
おまえまだ
夏休み?
今日までだー
いやーしかし
日本は
暑いですなぁ
日本?
何言ってんだ?
はい おみやげ
Hawaiian Host
Chocolate Covered
MACADAMIA NUTS
MACADAMIA NUTS
MACADAMIA NUTS

なんでマカダミアナッツなんだよ
ハワイでも行ったつもりか？
うん
は？
CADAMIA NUTS
ハワイ行ってきた
は!?
知らねーか？ハワイ
アーロハー
いや こないだいただろ!?
釣り行ったじゃん
あのあと飛行機探したらキャンセルで一つだけ空いてたからさー
のった

で一泊して帰ってきた
みうら呼べよみうら!ハワイの話してやる!
わかった
おまえバカなんだ
バカとはなんだバカとは!!
おみやげ返せ!!
ギャー
もらったもんはもう返せませーんー!!

この辺に咲いてたんだよね
私が子供のとき
くさぼーぼー
あ
たたっ

あった
あった
おーー！
でけぇー！
あれ？ ひまわりって
太陽の方むくんじゃ
なかったっけ？
むいてないぞ
これにしよー
すぽ
あーー
ぬいちゃった
はーっ!!
これで
わかったかー!?
……
んーー
足軽じゃないよね
…な
夏の妖精？
そう！

つくつくぼうし
です！
わー
っ
え!?
つくつくぼーし
つくつくぼーし
こうやって
つくつくぼうしは
なつをおわらすんだよ
たぶん
ん——……
つくつくぼーし
つくつくぼーし

それは私の思ってたつくつくぼうしとちょっと違う
えっ⁉
あさぎのはどんなの⁉
うーん
どんなのって言われると…
こう…
きゅっとなってててはねがあって
セミだよセミ
つくつくぼうしはセミ
!
えっ⁉
うん
そんなせつもあるのか……

つくつくつく
つくつくぼーし

たー
だいまー!!
とーちゃん!
おう よつば
おっす
おっす
とーちゃん
たいへん!
おまえ そのアイス
どーした?
アイスたべたくなったから
おとなりでもらった!
うわっ
ズーズーしぃ~~~
なんかお礼
言っとかんとなぁ
とーちゃん
はっけん!
はっけん!

ああっ！
ひまわり
土だらけ！
いいから
いいから
よくねーだろ
いいから！
さきに
はっけんをきいて!!
……
なんだ
発見って
きいて
おどろくな！
つくつくぼうしは
セミでした

うっそだぁー
ホント!!
ホントです!!
つくつくぼうしって
あれだろ?
今よつばが
してるかっこの
ちがうの!!
ちがったの!!
セミなの!!
ないてた!!
それつくつくぼうし
だったのか
セミ!
みんみんゼミ
みたいな!
ほんとかー?

電撃コミックス

よつばと! 4

2005年9月15日　初版発行

著　者＝あずまきよひこ

発行者＝久木敏行

発行所＝株式会社メディアワークス
〒101-8305
東京都千代田区神田駿河台1-8 東京YWCA会館
電話03-5281-5215（編集）

発売元＝株式会社角川書店
〒102-8177
東京都千代田区富士見2-13-3
電話03-3238-8605（営業）

編集・デザイン＝里見英樹

印刷・製本＝図書印刷株式会社

Ⓡ本書の全部または一部を無断で複写（コピー）することは、著作権上の法律での例外をのぞき、禁止されています。本書からの複写を希望する場合は、日本著作権センター（03-3401-2382）にご連絡ください。
■乱丁・落丁本はお取り替えいたします。

■初出＝月刊コミック電撃大王05年1月号、3月号〜05年8月号
（メディアワークス刊）
Printed in Japan
ISBN4-8402-3163-X C9979

©KIYOHIKO AZUMA/YOTUBA SUTAZIO

企画・制作＝よつばスタジオ

W9-CCP-779

ENJOY EVERYTHING.